Premium
SLAM
DUNK
슬램덩크 완전판 프리미엄
TAKEHIKO INOUE

21

● CONTENTS ●

SLAM
DUNK
전국제패 대작전의 붙타오름!
TAEKWANG TOY'S

21

● CONTENTS ●

#231 파워 승부

그걸 백호가 역으로 해내면 되는 거야…!

아항…! 그렇구나!!

분명히 말해 두지만, 난 파워에서도 너에게 지지 않을 거다.

야, 호박! 두 번이나 날 밀어제쳤다고, 파워풀하다고 생각하지 마라.

예? 뭐, 별로…

좋아! 스피드로 승부해, 백호야!!

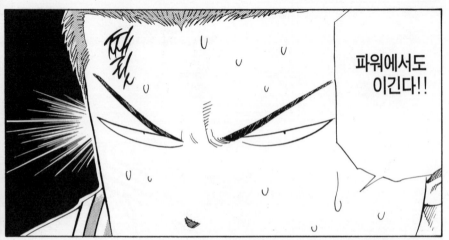

파워에서도 이긴다!!

워킹

뭣이!
발을 끄는
것도 안 돼?

지금
파워 승부
라고
했냐?!

뭐하는
거야,
너!!

선생님이
말씀하신 건
어디다
팔아먹었어!!

멍청한 녀석!

욱...!

모두
진정해!
디펜스다!
힘내자!!

역시 산왕은 신현필로 가는 작전이다!!

저 미스매치를 철저히 이용하고 있어!!

좋아!!

누가 진짜 파워풀 한지... 윽!

으...

쳇!

저 바보 같은 녀석!!

앞으로 나와서 막아 야지!!

넌... 학습기능이 제로냐!

또 골밑까지 밀렸어! 같은 패턴이야!!

멍청이...

쳇...

우리편은 하나도 없군....

...백호가 파워로 이길 수 없는 상대가 있었다니...?

이제 충분히 쉬었습니다. 감독님.

잠깐.

백호 녀석, 이 시합이 어떤 시합인지 전혀 깨닫지 못하고 있어...

파워에서도,

지지 마라!

아!

하지만, 정대만에서 강백호로 가는 패스는 상대방에게 간파되어 커트되었다.

윽!!

자세를 낮춰!

굉장한 반사 신경이다!!

자아, 이것으로 역전인가?!

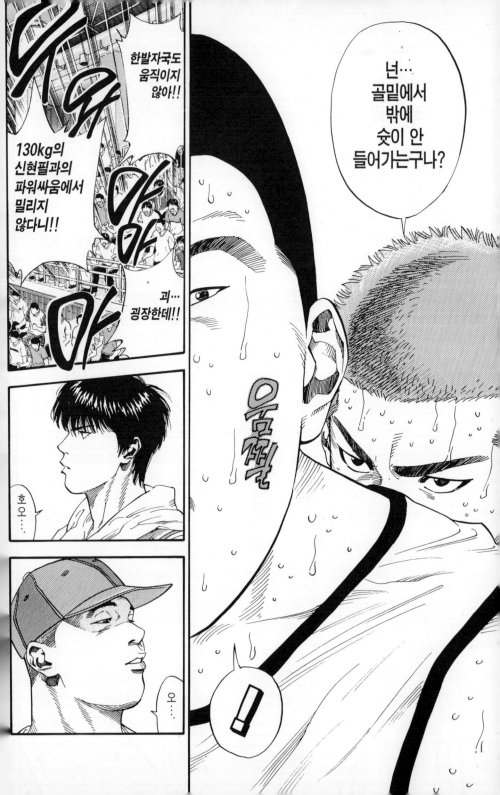

#232 굿바이 신현필

절대 사람들을 격려한 적이 없었던 오빠가…

4번!

무뚝뚝하고 칭찬에 인색한 오빠가…

오빠가 백호를 띄워 주다니…

간다, 시골호박!!

칭찬에 약한 녀석

승부!

운이 좋군.

어쩌다 실수로….

정말 믿어지지가 않아요…!

질투 하는 거냐?

안선생님께서 특훈 때 백호에게 저런 기술까지 가르쳐 주셨나요?

아뇨…. 그냥 점프슛만 가르쳤어요….

네가 당한 걸 그대로 돌려줘라!

현필아, 신경 쓰지 마!

신현필의 공격무기는, 골밑에서 몸을 틀어 쏘는 슛.

사실 강백호가 생각한 가설이 맞았다.

이명헌이 왜 신현필에게 볼을 못 주지…?

이젠 그 수법은 안 통해!

웃샤!

신현필이 골밑까지 안 가더라도, 신장차를 이용한 공격이 가능할 텐데.

윽…!

그 기술밖에 없었다.

빙글

하압!

그대로 몸을 돌려 슛해!

네!

골밑까지 밀어붙여!!

파울 조심해!

우선 그 기술을 몸에 확실히 익히는 거다!!

그래! 그걸로 된 거야!

큭…!

하압…!

연습대로 하면 넌 지지 않을 거야.

우성이 형도 그렇게 말했어.

골밑까지만 가면 문제없어….

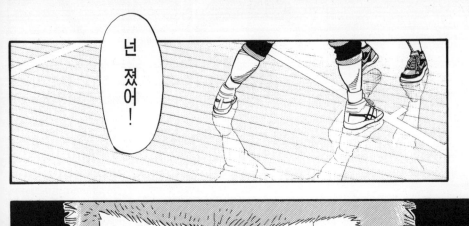

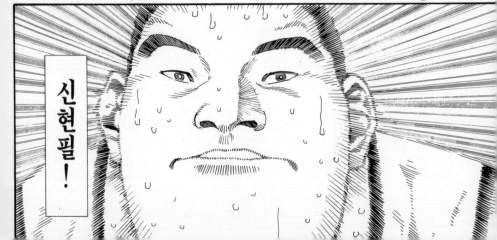

무참하게
깨지고
말았다!

와아!
최고야!
멋쟁이!

강백호는
성장했다!

당연한 소리.

그리고 시합은
노도의
후반전으로
접어든다―.

현필아,
첫 시합에서
그 정도면
잘한 거야.

자네의
의도와는 달리
오히려 백호가
자신감과 경험을
얻게 됐네.

미안하군,
도감독….

산왕공업	34	HALF TIME
북산	36	

#233 노도의 후반

그들 역시도
아직 고교생.

경기 초반엔
그런 중압감을
상당히
받았을 것이다…

하지만,
잊지 마세요.

전반전은
모두
잘해줬어요.

남은
20분
동안…

산왕을
무너뜨리기 위한
진짜 도전은…

지금부터
시작되는
거예요.

아직
후반전이
남아
있습니다.

싸워라
싸워라 산왕!
이겨라
이겨라 산왕!

싸워라
싸워라 산왕!
이겨라
이겨라
산왕!

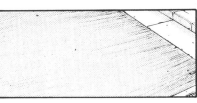

SLAM DUNK
슬램덩크 완전판 프리미엄

#234 북산 in Trouble

나이스,
정우성!

잘한다,
정우성!

북산 19:50 산왕공업
SEIKO
36 2ND 37

후반
시작하자마자
역점
3점슛…!!

침착해!
우리도
점수
내면 돼!

오케이!

노리고
있었어!!

그걸 확실히
집어넣다니….
역시
정우성이야!!

쳇!

북 산

2ND

정우성!!

정우성!!

나이스 숏, 정우성!!

……!!

오옷!

아악!

오펜스 파울!

넌 아직 멀었어…

뭣이…!

산왕, 파이팅!!

와아

체…

디—펜스!!

디—펜스!!

아야

아야

아직 볼을 만져보지도 못한 남자

북산의 2회전 탈락…

이거 작년보다 디펜스의 강도가 훨씬 세잖아.

굉장해.

이명헌의 자세를 봐….

저런 것은 너희들도 본받아야 해.

와!

와!

송태섭보다 자세가 낮다…!

이 이상 점수차가 벌어지게 되면 여기서 승부가 결정 나겠군….

…………

#235 존 프레스

쳇…

셋이서
볼을
운반해!!

태웅아!
너도
도와줘!!

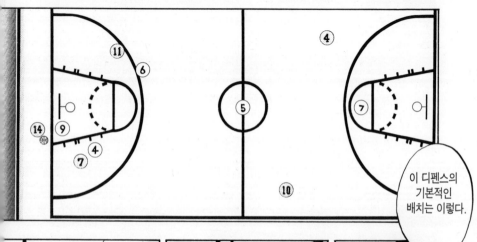

이 디펜스의
기본적인
배치는 이렇다.

그 다음,
패스하기가
무섭게
더블팀으로
수비…

상대방을
코트 구석으로
밀어 붙인다.

우선 볼을
한쪽으로만
패스하게 만든다.

인터셉트!!

좋았어!!!

···이렇게
···티는
···것이다!

북산 17:23 산왕공업

SEIKO
2ND

36 50

…눈 깜짝할 사이에 14점차….

마치 폭풍이 몰아치는 듯한 2분 30초 였어요.

그래.

그리고…

승부는
눈 깜짝할 사이에
결정나
버리고만 건가…?

지금이 절호의 찬스다!

......

지금이다!!

후반엔 아직 한 개의 슛도 쏘지 못했어.

북산은 존 프레스에 전혀 대응하지 못하고 있다.

예엣!

지금이 완전히 무너뜨릴 찬스다!!

3·1·1
존 프레스!

올코트 수비로
볼맨(볼을 운반하는
사람)을 밀어붙여,
상대방으로 하여금
최악의 상황을
만든 후,

북산은 볼을
프런트 코트까지
가져가지도
못했다.

불안정한 패스를
중간에서
인터셉트하는
산왕의
이 디펜스에….

북산의
스코어가
멈춰 있는
사이에….

후반전이
시작된 지
2분 37초.

#236 스피드 스타

우왓!

산왕이
먼저
나왔다!!

선수가
바뀌지
않았어!

이렇게
점수차를
벌려
놓았는데도
주전 5명으로
갈 셈인가?!

와
야
야
야
야

기회를 간파하지
못하고
다음을 기다리는 건,
2류나 하는 짓이지.

승리를 잡을
기회가 오면,
전력을 쏟아
거기서 승부를 낸다.

북 산

산

이
시합…

볼 수 있는
것도
앞으로 5분….

송태섭!!

나머지 시간은 상대가 불쌍해서 더는 지켜볼 수가 없어.

난 아직 볼을 한 번도 만져보지 못했어!!

닥쳐!

선생님!

빌어먹을!!

빌어먹을ㅡ!!

미… 미쳤어, 안경 선배!!

왜 날 바꿔!!

프런트 코트까지도 전진 못하는 지금 상황에서, 볼을 운반할 수 있는 달재를 넣어 수비를 돌파해 버리면….

!?

백호를 쉬게 하고 달재를 투입하면 어떨까요.

!

우욱…

흠…

시끄러워!!

혹은 더 이상 회복할 수 없는 점수차를 벌려놓을 때까진…

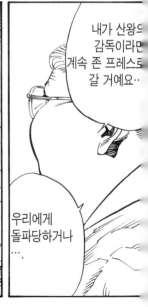

내가 산왕의 감독이라면 계속 존 프레스로 갈 거예요…

우리에게 돌파당하거나 …

20점
이상...

하지만...
지금 이 상황에서
산왕의 수비에
대책을 세우는 건
너무 늦었어.

상당한 준비를
해온 팀이
아니라면
산왕의 이 수비를
깰 수 없지.

아무리
안선생님
이라도….

벌어지면
끝이다.

우리
해남
처럼...

말이죠?!

태웅군.

예.

대만군.

예!!

일단 멤버는
그대로
가겠어요.

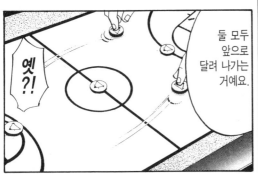

둘 모두
앞으로
달려 나가는
거예요.

옛?!

!?

북산!
어서
나와요!

아아,
벌써
시간이!

볼 운반은…?!

어떻게….

당연히…

북산의
돌격대장이
…!!

혼자서…?!

돌격대장?

이 천재, 강백호 말예요!!

말끔 불꽃다 돌리덕 없다
구요...!!!

난 뭐하구요, 영감님!

태섭아!

예!!

앞으로 달려가는 태웅군, 대만군에게 롱패스를 할 수 있을 때가 되면 태섭군에게 볼을 주세요!

치수군이 맨 처음에 태섭군에게 패스를 하세요.

자넨 링을 향해…

손 좀 내밀어 봐.

…돌진하게.

흐음.

아… 아니?!

안나!

자, 북산! 어서!

?

걱정 마라. 강백호...

가자, 송태섭!!

볼 좀 만지게 해줘!!

또 사인 보내마.

한눈팔고 있지나 말라구.

어느 팀에 가도 당연히 에이스가 됐었을 인물이지.

저 6번…. 후반에 들어서 눈에 띄게 활약하는데.

최동오다.

정말 선수층이 두터워….

금방 흥분해서 주위를 제대로 볼 수 없게 된다니까….

쳇….

원 프리스로!!

넌 상대를
멋지게 골탕
먹일 때가
가장 멋져,
송태섭!

No.1ガード: No.1가드 (작가와의 협의에 의해 원본 그대로 표시했습니다)

역시 여기서
끝내려는
심산이군!!

우와~!
이젠
싫어!

제발
그만해~!

응?

정우성의 점프동작으로 인해, 더블팀하러 오는 데 순간적으로 늦고 말았다.

송태섭, 그 순간을 놓치지 않고 이명헌과 대치…

#237 THE MAN

존
프레스
돌파
성공!!

좋아!
잘했어,
송태섭!!

가라,
서태웅
-!!

3대
2다!!

8강이
조건이라는 건…
조금 무리였어요.

2회전이
산왕이라니….

여기서 저도
난 채치수를
스카우트…

한
다.

단 신현철
상대
얼마만큼
플레이
하는가

에
달려있어.

신현철이
지금
대학에
들어오면
….

하지만…

채치수는 지금
대학팀에
들어가도
충분히
제 몫을 할
센터다
….

베스트 3안에
충분히
낄 수 있어!

치수
선배!!

넌 전국 톱수준의 센터다…. 분명….

채치수….

신뢰감이 높은 녀석이지.

역시 여기서의 한 골은 고릴라가….

욱….!

무린가?

응?

백보드
뒤쪽이다!!

아냐!
각도가
없어!!

!!

앗
——!!

우옷
!!

SHOHOKU
4

좋았어!
나이스
디펜스!

쿡...!

그래,
알았다!!

떡판 고릴라한테
지지 마!
원조 고릴라!!

좀 더
전력을 다해
덤벼보시지,
채치수!

반드시 이긴다!!

오빠…!

와앗!
골밑의
파수꾼을
끌어냈다!!

1 ON 1이다.

허술해진
골밑으로의
패스?!

아냐.

센터가
저런 외곽에서
뭘 하는
거야…?!

우오오옷———!!

내가 이 녀석을….

이길 수 있을까…?

윽….

그리고
변덕규!!

고민구!!

성현준!!

그러나
이 녀석들이
어린애로 보일
정도로….

모두 힘든
상대였다!

상대가
형편없다면
몰라도….

아… 아무리
그래도
점수차가
너무
벌어졌어
….

왕자
….

… …
무슨 말이
하고 싶은
거냐?

정말
그렇게
생각해?

엥?

… … !!
까악!!
콩
떠엉
!! 뻐
엉

기대하면
할수록
괴롭잖아….

추격
하자
—!!

가랏,
북산
—!!

하…
하지만….

힘내…

힘내…!!

우선 한 골이다!!

한 골 넣고 흐름을 바꾸자!!

아직 이길 수 있어!!

한 골만 넣으면 흐름은 반드시 우리에게 넘어올 거야!

후반전엔 아직 제대로 슛을 쏠 기회가 없었어.

부탁한다, 치수야!!

읽고 있어!

※스핀 무브:공격자가 회전하면서 앞에 있는 수비수를 제치는 공격

※스핀 무브!!

블로킹?!

치수가…

!!

연습했는데….

그렇게
열심히…

왠지
두려워졌어….

오빠가….

지금까지
온 힘을 다해
쌓아 온 것이
전부….

전부 이 시합에서
사라지는 건
아닐까…하고.

#239 키도 크고 농구도 잘한다

나이스~.
현철이 형!!

다른 팀
선수들도….

그리고 같은
지역 대표인
해남대 부속고
선수들조차도….

이 경기를
지켜 본
모든 사람들이
그렇게
생각했다.

쳇.

많이도 퍼붓고 있군.

이리저리 헤맨 주제에 돈은 다 받겠다고?!

제장!

……!

아직 하고 있겠지.

바보!
저 녀석이
고교생으로
보이냐!

얼굴
보면
몰라?!

신현필 말고
나보다 키 큰
녀석이 또
있었잖아…

우선 한 골만 넣자!!

하나만!!

자, 쏘세용…

아아앗!!

캬앙

낙수야, 정대만을 좀 봐봐.

역시 전반전의 네 디펜스가 효과가 있었던 것 같다.

으…으…윽…!!

빌어먹을 녀석들—!!

점프 슛 확률이 낮은…

태섭이의 약점을 알고 있어…?!

※보디 블로(Body blow): 권투에서 가슴, 복부를 계속해서 때리는 공격법.

파울
——!!

뭐
?!

북산
11번!!

이 바보 같은 놈
이 이상
점수차가
벌어지면
안 된단 말야

승부다,
원시인!!

빌어먹을!
이렇게 된 이상
북산의
최종무기!
강백호밖엔
없다!

최종무기?

!

훗!

저 신현철 선수 같은 타입은 처음입니다.

...저도 이 일을 하고부터는 농구를 보는 눈이 생겼다고 자부합니다만...

우왁!

뭘 자부한다는 거야?!

키도 크고, 농구도 잘해요.

뭐랄까....

그러니까....

신현철이 어떻게 다른지 말해 봐.

우악!!

그러고도 기자냐!

키도 크고, 농구도 잘해요?!

흐음....

신현철은 드리블도 뛰어나고..., 저렇게 덩치가 큰데도....

움직임도 재빠르지 못한 게 보통인데....

제... 제가 봐온 바로는, 몸이 큰 선수는 대개 골대 가까운 데서 플레이를 하기 때문에, 드리블 같은 건 안 하고...

예?!

165cm 였어.

그가 입학했을 때 몇 cm였다고 생각하지?

그로부터 1년 사이에 그의 키가 25cm나 자랐다고 한다.

급격한 신장의 변화와 함께, 그의 포지션도 변해갔다.

가드에서 포워드로.

그리고 센터로.

이…

1년 사이에 25cm나?

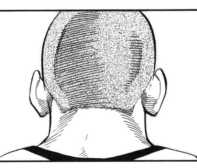

또한 그것이 국내 고교 최강 센터로 군림하게 만들어 준 것이다.

모든 포지션을 경험한 것이 신현철을 독특한 센터로 만들어 놓았고.

가드, 포워드 급의 기술을 최대한으로 살릴 수 있는 것도, 센터 본래의 플레이까지 모두 갖춘 것도….

그는 포지션을
바꿀 때마다
엄청난 노력을
했음에
틀림없어….

강력한
인사이드
플레이.

강철 같은
근육.

뭘 하고
있는 거야…!!

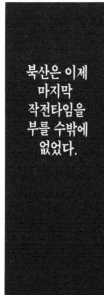

북산은 이제
마지막
작전타임을
부를 수밖에
없었다.

第 回全国高等学校バスケットボール選手権

한 골만!!

작전타임은 신청된 후,
곧바로 얻어지는 것이
아닙니다.
파울 등으로 플레이가
정지될 때까지
기다려야
합니다.
~Dr. T

#240 꼴사나운
모습의 북산

하지만···

벌써 8분이
지났는데
아직도
노골이라니!!
믿을 수
없어!

어쨌든
한 골
넣지
않으면
···!!

이명헌이 저렇게 떨어져서 수비를 하면, 뚫고 들어가는 건 거의 무리…

외곽슛은 허용해도 인사이드 돌파는 허용하지 않겠다는 생각인 것 같아요.

패스를 할 수가 없어…

태섭이의 약점을…!

역시 이명헌은 간파했어…

전반의 철저한 마크 때문인가….

대만이 형의 체력이 눈에 띄게 떨어졌다…!!

빌어먹을~!!

!!

이 녀석…. 점차 본래 실력을 보여주고 있다.

아앗! 놓치면 어떡해, 멍청아!!

으…

빠져나가!

제쳐버려!!

산왕의 에이스는 공격력뿐만이 아니야…!

괴… 굉장한 압력…

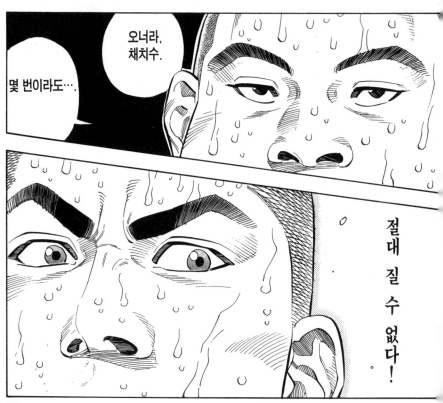

처음 봤다.

저렇게 끌사나운 모습의 채치수는…

두목 원숭이!

우왓!

앗

'산왕전' 이란 말에 압박감을 느껴 자기 본연의 모습을 잃어버린 건가. 멍청이….

작전 타임이 필요하다!!

파울 해!!

북산 11:20 산왕공업

36 SEIKO 99

2 ND

내가 온 것도
깨닫지 못할 정도로
정신이 나가 있는 게
분명해.

…귀에는
들어
오지만…

생각이
지나친 건
좋지 않아요.

발이
멈춰져
버리니까.

머리엔
들어오지
않았다.

…지는 건가…?

뇌리를
스치는
이 말을…

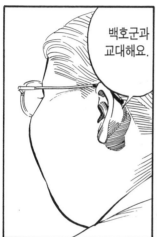

백호군과
교대해요.

예.

준호군.

북산
선수들은
받아들이지
않으려고
발버둥쳤다.

뇌리에
새겨두란
말인가…!!
앞으로를
위해서…!

무…
무너지는
꼴을…!

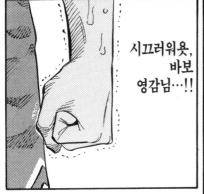

시끄러워욧,
바보
영감님…!!

백호군.

플레이를
지켜봐요.

여기
앉아요.

응?

나쁜인가…?

아직 이길 수 있다고 생각하는 건….

#241. 4POINTS

나쁜인가…?

아직 이길 수 있다고 생각하는 건….

포기?

포기한 거 아네요, 영감님…?

잘 봐두세요.

응?

백호군을 교체한 건 그 때문이에요.

뭐라구요...?

한 골만!!

좋았어, 가라—!

서태웅 대 정우성!!

1 ON 1 이다!!

…이제
알았나요?

알겠어요,
영감님.

내가 나가서
저런 덩크를
멋지게 성공시키고
오라는 거 아닙니까…

…아니.
틀렸어요.

지금의
원맨 속공으로
우리 팀은
마이너스 2점.

알았다!
파리채 블로킹을
한방 먹이고
오라구요?!

저걸
막기 위해선
어떻게 하면
될까요?

아니.

역시 북산은
지쳤어.
백코트가
늦어지고 있다.

지금 같은
속공을 계속
허용할 거야.

엥?

자,
스톱.

거기서 리바운드를
잡은 것이
백호 자네였다면
어떻게 됐을까요…?

....

!?

....

우선 산왕의
리바운드로
시작되는 속공은
없어질 것이고….

북산에
또 한 번의
슛 찬스가 와요.

....

....

!!

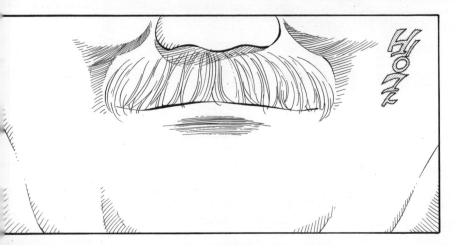

그것이 가능하다면, 자네가 추격의 히든카드가 되는 거예요…!!

공이여, 붙어라. 공이여, 붙어라. 공이여, 붙어라!

하아앗~!!

찌익…..

오잉?!

……………

왜, 왜들 이래?! 집단으로 돌았나?!

나도.

내 주문도.

나도.

붙어라, 붙어라, 붙어라, 공공~!!

부탁한다, 백호야!

내가 주문까지 걸어놨으니까!

아…?

중훈?!

나의 역사적인 교체는 아직 멀었냐구요!!

교체입니다!

이 시점에서
코트 위의
북산 멤버들의
마음속엔….

이미 '패배'란
두 글자가
드리워져
있었는지도
모른다.

그리고…,
북산
최후의 희망은
이 사나이의
손에 맡겨졌다.

강백호에겐 3점슛은 없어.

남은 시간과 점수차로 봐선… 닥치는 대로 3점슛을 남발할 줄 알았는데…

…그렇게 되면 오히려 게임이 더 쉽게 풀렸을 테고….

북산

산왕공업

강백호를 내보낸다…?

부탁한다.

백호야…!!

이건 북산의 자멸을 의미하는 거야.

여기서 저 풋내기를 내보내지 않으면 안 된다니….

안경 선배!

앗!

제발 잘해줘…!!

주문?

준호형!
틀림없이 주문을
담았겠죠?!

…강백호도
본능적으로
알고
있는 듯
하군…

이 녀석…!
이런 때…
도대체…
무슨
짓을…!

뭐야?!

!!

4

뭐야…?

山王工高
9

山王工高
6

工高

똥…
똥침이야…

난 봤어!

이 시합…….

반드시 내가 뒤집어 놓을 테다…!!

꼭 해야만 하는 일이 한 가지로 좁혀졌기 때문에….

게다가 …….

이상할 정도로 흔들림이 없었다.

기대받기는
처음이었기
때문에….

엇?!

무슨 짓을…!!!

뭐… 뭔가, 자네?!

무슨 짓인가! 어서 내려와!!

· · · · · · · ·

SLAM DUNK #242   240

|SLAM DUNK|

슬램덩크 완전판 프리미엄 21

2007년 9월 23일 1판 1쇄 발행   2023년 2월 14일 2판 3쇄 발행

•

저자 ······ TAKEHIKO INOUE

•

발행인 : 황민호
콘텐츠1사업본부장 : 이봉석
책임편집 : 김정택/장숙희
발행처 : 대원씨아이(주)

•

서울특별시 용산구 한강대로 15길 9-12
전화 : 2071-2000 FAX : 797-1023
1992년 5월 11일 등록 제 1992-000026호

•

©1990-2022 by Takehiko Inoue and I.T.Planning, Inc.

•

ISBN 979-11-6944-818-5 07830
ISBN 979-11-6944-793-5 (세트)

•

SLAM
슬램덩크 완전판 프리미엄
DUNK

SLAM
슬램덩크 완전판 프리미엄
DUNK